¡Y hacia a México ella va!

Escrito por Laurel Conran

Ilustrado por Yonta Lyness

Palmetto Publishing Group
Charleston, SC

¡Y hacia a México ella va!
Copyright © 2019 by Laurel Conran

First Edition

Printed in the United States

ISBN-13: 978-1-64111-664-0
ISBN-10: 1-64111-664-1

Dedicación

Le doy gracias a Dios por las mariposas Monarcas, por el cielo color pastel, y por los seres vivos. Estoy profundamente agradecida con mi familia y amigos por su apoyo, y a Yonta Lyness por su creativo arte de ilustración con acuarela, a Beatriz Zuleika Lau por su traducción al Español, y a la autora de cuentos de Niños, Karen Lynn Williams, quien me animó, a seguir mi pasión por escribir acerca de las mariposas Monarcas.

¡Un caleidoscopio de mariposas monarcas llenan el cielo otoñal! Montones de follajes de las plantas de algondoncillo se extienden hacia el sol dorado.

1

¡Ñam! ¡Ñam! *¡Ñam!*
Las orugas saborean cada
hoja vellosa.

¡Cosquillas, cosquillas, *cosquillas*!
¡Eva ríe mientras éstas se trepan a sus dedos, y suben y bajan en sus brazos!

"¿Qué son estas manchas blancas en tu espalda, pequeña oruga?"

Eva quiebra con un chasquido,
la hoja del tallo con la oruga, y
corre hacia el interior de su casa.

"Son huevos de la mosca taquínidos," dice Lolly. "Los huevos la enfermarán." "Probablemente, ella no se convertirá en mariposa." Suspira Lolly.

"¡Pero Lolly, tenemos que intentar salvarla!" Exclama Eva.

"¡No sé si podamos!" contesta Lolly.

"¡Pero tenemos que darle una oportunidad!" dice Eva.

Eva saca las pinzas y
aprieta los huevos muy
suavemente, uno a uno.
"Plop, plop, *plop*!"

7

Eva la mantiene a salvo en su habitación.

Ella habla con ella, juega con ella y nombra a su nueva amiga "Esperanza."

Esperanza se aleja de su hoja de algodoncillo y se trepa a la parte superior de su jaula de malla y se voltea boca abajo.

"¡Shu, shu, *shu* moscas! "¡Vayanse de aquí¡"

11

Eva recoge las hojas de algodoncillo con las orugas y los pone dentro de su jaula de malla.

¡A la mañana siguiente, Eva y Lolly despiertan para encontrar a las orugas haciendo sus crisálidas! ¡Menean, menean, *menean*!

Después de diez días, Eva y Lolly observan a las monarcas emerger de sus crisálidas.

Están encantadas mientras ven las pequeñas alas arrugadas.

¡Estirarse! ¡Estirarse! ¡*Estirarse*!

"¿Iras a salir, ESPERANZA?"
Suspira Eva. Eva espera,
espera y espera.

¡Horas más tarde, Eva y Lolly abren la jaula de malla y las mariposas monarcas se propulsan de flor en flor! Algunas mariposas monarcas se refugian en los árboles, mientras que otras, rápidamente se alejan volando.

Eva vuelve a su habitación y encuentra a Esperanza esperándola.

"¡Ahí estás, mi pequeña amiga! ¡Bienvenida de regreso! ¡Eres tan hermosa, con tus largas alas de color rojo-naranja! ¿Estas lista para tu vuelo?

Esperanza se posa sobre la mano de Eva y extiende sus alas.

Aleteo, aleteo, aleteo . . .

Esperanza cae en el suelo mientras sus alas tiemblan.

"¡Vamos, Esperanza! ¡Tu puedes hacerlo!" dice
Eva mientras la levanta y la coloca sobre la flor.
"¡Glup… glup… *glup*!"

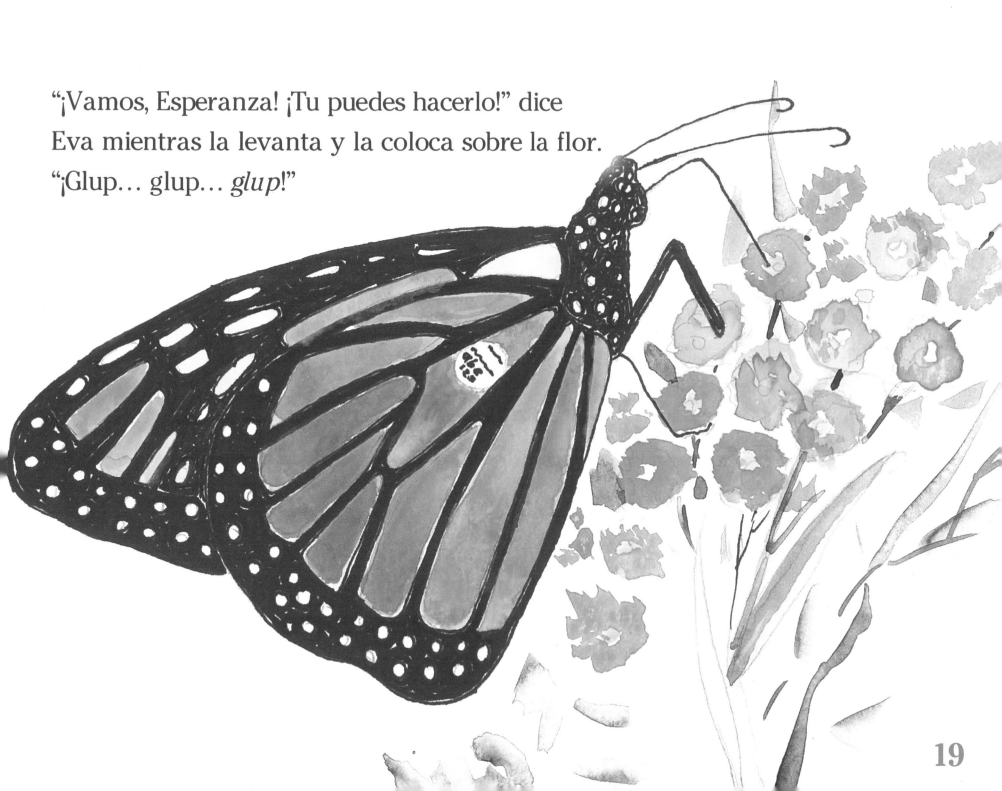

Revolotea. . . revolotea. . . *revolotea.*

¡Y entonces, ella emprende el vuelo y…

hacia México. . . . ella va!

La Biografía de la Autora

Laurel Conran es profesora de Inglés para hablantes de otras lenguas, ELL (English Language Learner) en sus siglas en Inglés; y cría mariposas monarcas para su unidad de ciencias, *"Rasgos y Ciclos de vida: Celebrando a la Mariposa Monarca"*. Ella disfruta escribiendo en su blog **Teaching and Traveling (Enseñando, y Viajando)**, y fue inspirada a escribir **"Y hacia México. . . ella va"**, después de que ella y su esposo fueran certificados para hacer una estación de paso para la mariposa monarca.

Para aprender más acerca de **Laurel Conran**, por favor visita su página FACEBOOK, Teaching and Traveling (Enseñando, y Viajando), y http://farfallabaci.blogspot.com.

La Biografía de la Ilustradora, Yonta Lyness

Yonta Lyness nació en San José, Costa Rica. Ella tiene una Licenciatura en Artes Plásticas con Especialización en Acuarelas. Ha participado en varias Exposiciones en Costa Rica, Noruega y los Estados Unidos. Yonta recibió un premio en segundo lugar en acuarela en el Centro Cultural Costa Rica – USA. Actualmente ella trabaja en un Centro de Arte, como maestra de arte. Ella también sirvió como juez en la Competencia de Arte del Congreso para Jóvenes del tercer Distrito en el estado de Maryland.

Printed in the USA
CPSIA information can be obtained
at www.ICGtesting.com
LVHW062319191023
759903LV00045B/78